KB075678

인테르 2022/24

시즌 하이라이트 일러스트북

글/그림: 장원석

stepstone900@naver.com
https://blog.naver.com/piccalcio
https://www.instagram.com/piccalcio

블로그

인스타

목차 (타임라인)

22/8/13
비아 델 마레, 레체
22/23 세리에A 1R
레체 1-2 인테르

전전 시즌 11년만에 스쿠데토를 따냄으로써 디펜딩 챔피언 타이틀을 얻었다가 전 시즌 라이벌 밀란에게 빼앗겼던 인테르. 우승할 당시 밀라노의 왕이었던 루카쿠를 한 시즌 걸러 다시 임대로 데려 와 올 시즌 다시 왕좌 탈환을 노리는데 리그 개막 84초만에 득점 신고! 그러나 돌아온 승격팀 레체 상대로 무재배 각이 씨게 나오던 후반 막판 코너킥에서 둠프리스의 버저비터 배치기 골로 첫 판 부터 팬들 심장 뛰게 만드는 승리를 챙겨갔다. 아주 경기 처음을 열고 끝을 닫으셨다!

22/8/20
쥐세페 메아짜, 밀라노
22/23 세리에A 2R
인테르 3-0 스페치아

두 시즌 전 밀라노의 왕이었던 루카쿠가 돌아옴으로써 유럽 통틀어서도 손꼽혔던 콤비 'LU-LA 룰라'가 네라쭈리 홈팬들 앞에서 이른 시간부터 다시 신고식을 멋지게 하였다. 두번째 득점자 찰하노글루는 지난 시즌 팀을 옮기는 과정에서 스쿠데토가 엇갈리며 본인으로써는 상당히 뼈아팠을테지만(밀란에 있었더니 인테르 우승, 인테르로 오니 밀란 우승) 올 시즌 인테르와 함께 스쿠데토 탈환을 위하여 절치부심하고 있고 세번째 득점자 코레아는... 지난 첫 시즌 맨 처음과 맨 끝에만 잘했던 그는 일단 올 시즌 처음엔 잘했고 과연 중간에도 잘해줄지?

22/8/26
스타디오 올림피코, 로마
22/23 세리에A 3R
라치오 3-1 인테르

"자기 형 이쯤되면 라치오로 컴백하고 싶은겨?" 지난 시즌 이 곳에서의 똑같은 스코어로 데자뷰가 되면서 인자기 감독에게 농담 반 진담 반으로 이런 말이 나오는 이유가 지난 시즌 인테르에 부임 이후 당한 리그 패배가 오늘까지 5패밖에 되지 않기 때문...

22/8/30

쥐세페 메아짜, 밀라노

22/23 세리에A 4R

인테르 3-1 크레모네세

라치오한테 참교육당하고 홈에 와서 승격팀 상대로 무난한 승리. 인테르는 루카쿠 없는 9월이 걱정이다.

22/9/3
산시로, 밀라노
22/23 세리에A 5R
밀란 3-2 인테르

시즌 초반 챔피언스리그 첫 경기를 앞두고 찾아온 밀라노 더비. 선제골은 인테르 몫이 었지만 뭐같은 수비력을 뽐내며 거의 레앙에게 농락 당하다시피 하면서 3실점을 당했다. 제코가 한 골 만회해서 끝까지 어찌될진 몰랐으나 라치오전 만큼 참담했다. 데르비에서 혼자 2골 1도움을 기록한 레앙은 2001년 5월 11일 셰브첸코(6-0 승리) 이후 21년만에 나온 첫 밀란 선수.

22/9/7
쥐세페 메아짜, 밀라노
22/23 UCL 조별리그 1차전 C조
인테르 0-2 바이에른 뮌헨

기록상으로 한 골은 주장 완장을 달고 출전한 담브로시오의 자책골이긴 하나 사실상 르로이 사네의 멀티골. 주말 리그 경기에서 밀란과의 데르비도 졌던 인테르는 이 경기도 매우 실망스럽게 지면서 힘든 9월의 시작을 보내고 있다.

22/9/10
쥐세페 메아짜, 밀라노
22/23 세리에A 6R
인테르 1-0 토리노

주중 챔스 여파일까 앞서 나폴리도 밀란도 그랬듯이 인테르도 겨우겨우 힘겹게 승리했다. 주인공은 브로조비치. 그래도 이기는게 어디...?!

22/9/13

두산 아레나, 플젠

22/23 UCL 조별리그 2차전 C조

플젠 0-2 인테르

+바이언, 바르셀로나와 함께 묶이며 이게 꿈일까 싶었던 플젠은 홈에서 혹시나 복병의 경기를 보여주지 않을까 싶었는데 그런건 전혀 없었고 인테르는 제코와 둠프리스의 득점으로 무난히 승리했다. 1차전 홈에서 바이언에게 졌던걸 그나마 만회.

22/9/18
다치아 아레나, 우디네
22/23 세리에A 7R
우디네세 3-1 인테르

"말해주세요 누가 진짜 비안코네리인지"
유벤투스랑 붙는것도 아닌데 경기 내용에서 탈탈 털린 인테르는 지금 시즌 시작한지 얼마나 됐다고 벌써 챔스까지 통틀어 4패째 적립.
'작은 얼룩말들' 이라고 불리기도 하 는 우디네세는 지금 기세는 로마도 4-0으로 대파하는등 5연승으로 결코 작지 않다.

22/9/23

쥐세페 메아짜, 밀라노

22/23 네이션스리그 A-3조 5차전

이탈리아 1-0 잉글랜드

"Mai Stati in B: 의역: 우리는 결코 강등된적이 없다 (인테르의 슬로건 중 하나)" 밀라노 산 시로에서 열린 유로 결승 리턴 매치에서 라스파도리의 뒤늦은 결승 골로 잉글랜드를 그룹 B로 강등시켜 버렸다.

22/9/26
푸스카스 아레나, 부다페스트
22/23 네이션스리그 A-3조 6차전
헝가리 0-2 이탈리아

조 1위였던 헝가리는 무승부만 거둬도 파이널4에 진출하는 꿈을 실현시킬 수 있었지만 똑같이 월드컵 못 나가는 국가에게 패하며 굴욕(???). 디마르코가 추가골의 주인공이 되며 인테르의 영광을 이끌었던 전 감독 만치니가 이끄는 아주리는 파이널4에 진출하였다.

22/10/1
쥐세페 메아짜, 밀라노
22/23 세리에A 8R
인테르 1-2 로마

'50점으로 낙제... #인자기아웃' 인테르가 반겨야 할 인물 무버지는 지난 경기 퇴장 징계로 오늘 벤치에 앉을 수 없었다. 인테르는 여름 이적시장에 프리로 영입하는 줄 알았던 디발라에게 실점을 당한데다가 역전패까지 당했으니 타격이 컸다. 8경기 4패로 반타작 성적을 내고 있는 심자기의 인테르에게 다가오는 일정은 바르샤 - 사수올로(천적) - 바르샤인데 이제 50점 밑으로 선 넘기 일보직전?

22/10/4
쥐세페 메아짜, 밀라노
22/23 UCL 조별리그 3차전 C조
인테르 1-0 바르셀로나

인테르 같은 스쿼드를 가지고 시즌 통합 10경기를 치르면서 5승 5패 반 타작의 낙제점을 안고 있던 심자기 감독은 오늘부터 이어지는 일정이 암담 그 자체였는데 아니 이럴수가...?! 전반 막판 찰하노글루의 한 방으로 스팔레티도 콘테도 못했던 바르 샤 잡아내기를 해냈다.

22/10/8
마페이 스타디움, 치타 델 트리콜로레
22/23 세리에A 9R
사수올로 1-2 인테르

제코가 오늘 멀티골로 본인의 세리에A 통산 100호 골을 달성했으며 세리에 역사상 세 번째로 많은 나이에 100골을 달성한 선수(36세 205일)가 되었다.
2등은 2016년 키에보의 레전드 세르지오 펠리시에르(37세, 243일)
그리고 1위는 2021년 고란 판데프(37세,268일)
전 인테르 트레블 멤버.

22/10/12

캄프 누, 바르셀로나

22/23 UCL 조별리그 4차전 C조

바르셀로나 3-3 인테르

객관적으로 봐도 이번 조별리그 명경기 탑에 들어갈 만한 한 판이었으며 캄프 누에 인테르를 이끌고 방문했던 전임 감독들 콘테, 스팔레티는 물론 12년전 이곳에서 챔스 결승행을 이끌어냈던 무리뉴조차도 하지 못한 무승부를 시모네 인자기가 해냈다. 하지만 이번엔 기대했던 스프링쿨러는 없었다. 바르샤는 청신호가 켜졌다 또 다시 유로파 가는걸로...

22/10/16
쥐세페 메아짜, 밀라노
22/23 세리에A 10R
인테르 2-0 살레르니타나

인테르는 주중 캄프누에서 엄청난 경기를 펼치며 값진 승점 1점을 따내는 와중에 팀의 현 실세인 97라인 듀오 라우타로, 바렐라의 대활약이 있었다. 주말 리그 홈으로 돌아와서도 비교적 난이도 쉬운 경기에서 각자 연속골을 이어가며 무난한 승리를 안겨주었다.

22/10/22
아르테미오 프란키, 피렌체
22/23 세리에A 11R
피오렌티나 3-4 인테르

인테르의 올 시즌 써드 킷이 올 옐로로 발표되었고 오늘 처음 선을 보이게 되는데 마침 상대가 보라돌이라 이번 경기는 맞춤형으로 제작하였다. 인테르의 현 실세인 라우타로-바렐라 97라인은 캄프 누에서부터 3연속 칭찬. 그리고 마지막에 치명적인 실책을 저지르며 실점의 원흉인 피렌체 수비수 베누티는 오늘 뿐만 아니더라도 전적(?)이 꽤 있어서 많은 보라돌이들의 분노를 샀다. "베누티 친구는 이제 그만안~!"

22/10/26
쥐세페 메아짜, 밀라노
22/23 UCL 조별리그 5차전 C조
인테르 4-0 플젠

인테르가 이 4전 4패를 하고 있는 팀을 상대로 한 홈 경기에서 이기기만 하면 바르샤는 게임 오버되는 상황이었다. 바르샤에겐 다소 잔인하게도 일찍 열렸던 이 경기를 본인들 경기에 앞서 TV 앞에 자신의 선수들을 모아놓고 시청하게 했다고 한다. 빅토리아의 빅토리를 염원했을 그들의 꿈은 하프타임에 이미 사실상 박살나고 말았다. 이로써 바이언에 이어 C조 16강 남은 한 자리는 이미 인테르로 결정났으며 마지막 라운드 바이언 원정은 전혀 부담 없이 편한 마음으로.

22/10/29
쥐세페 메아짜, 밀라노
22/23 세리에A 12R
인테르 3-0 삼프도리아

90년대 후반~00년대 초반 라치오의 전성기를 함께 보냈던 두 친구 시모네 인자기와 데얀 스탄코비치가 감독으로 만났다. 하지만 그보다 더 이슈로 떠오르는 포커스는 역시 2010 인테르 트레블 주역이었던 '데키' 스탄코비치의 산 시로 방문이었다. 역시 홈팬들은 그를 따뜻하게 맞아주었으며 인테르는 전력대로 좋은 기세를 이어가고 있다. 반면 환대 받은 것은 기쁘겠으나, 별개로 삼돌이를 구출해야할 임무를 맡은 스탄코비치의 세리에A 감독 여정은 아직까지 쉽지 않다.

22/11/1
알리안츠 스타디움, 뮌헨
22/23 UCL 조별리그 6차전 C조
바이에른 뮌헨 2-0 인테르

어차피 둘다 16강 확정에 1,2위 자리가 각각 정해진 상태에서 붙는지라 일말의 긴장감도 없을 빅매치가 되었다. 그렇다하더라도, 빅매치 딱지가 붙었다하더라도 어이뮌. 어차피 이기는 건 뮌헨이다.

22/11/6
알리안츠 스타디움, 토리노
22/23 세리에A 13R
유벤투스 2-0 인테르

주중에 각각 치른 챔스 경기를 보자면 이번 데르비 디탈리아는 인테르가 유리해보였지만 데르비는 가끔 그런 것들을 전혀 무관하게 만든다. 심자기는 두시즌 연속 챔스 16강은 좋으나 올 시즌 아직 빅클럽 상대 승점 0...

22/11/9

쥐세페 메아짜, 밀라노

22/23 세리에A 14R

인테르 6-1 볼로냐

인테르는 지난 홈경기때 트레블의 주역인 스탄코비치를 만났다면 이번엔 티아고 모따를 만날 차례였다. 주말에 데르비 디탈리아에서 무득점에 그친 완패를 모따에게는 미안하게도 볼로냐에 화풀이를 하듯 대승을 가져갔다. 축구에서 흔히 나올 수 있는 스코어는 아닌데 신기하게도 지난 시즌 볼로냐를 홈에서 상대했을 때와 동일한 스코어를 뽑아냈다. 다만 인테르는 지난 시즌 막판 원정에서 치뤄진 볼로냐전에서 악몽을 겪었기 때문에 그 곳에서 조심해야.

22/11/13
게비스 스타디움, 베르가모
22/23 세리에A 15R
아탈란타 2-3 인테르

감독을 대상으로 할때 인테르가 져선 안 될 상대가 가스페리니인데 그가 아탈란타를 맡아 전성시대를 오픈할 당시까지 원정에서 만큼은 인테르가 절대 이기질 못하다가 최근 몇 년 간은 승률을 많이 올리고 있다. 36살 제코의 득점력이 상당히 훌륭한 가운데 올 해 마무리를 좋게 가져갔다. 보스니아 국가대표에서 아직 은퇴하지 않았기에 그들이 월드컵에 나갔으면 무조건 차출됐을 제코 옹이지만 이대로 올해 끝 날 때까지 요양을 취할 수 있게 되었다.

2022 카타르 월드컵 개막!

22/11/22
루사일 아이코닉 스타디움, 루사일
2022 카타르 월드컵 C조 1차전
아르헨티나 1-2 사우디 아라비아

-드디어 나왔다 이번 월드컵 첫 이변 "이것이 축구고 이것이 월드컵이다"
-아르헨티나의 A매치 36경기 무패 행진... 정작 월드컵 본선 와서 사우디 상대로 깨지며 개망신
-진화된 오프사이드 판독 기술로 아르헨티나 3개의 필드골 모두 무효. 그 중에서 라우타로도 득점이 취소 되는 수모를 겪었다.

22/12/1
2022 카타르 월드컵 F조 3차전
캐나다 1-2 모로코
크로아티아 0-0 벨기에

브로조비치의 크로아티아는 어쩌면 루카쿠의 대활약 덕에 16강 진출을 당했다고 볼 수도?
2018 루카쿠 vs 1994 황선홍...? 정말 많이 안타깝다.
그리고 이 황금 세대의 6년을 이끌어온 마르티네즈 감독은 결국 직후에 사임했다.

16강

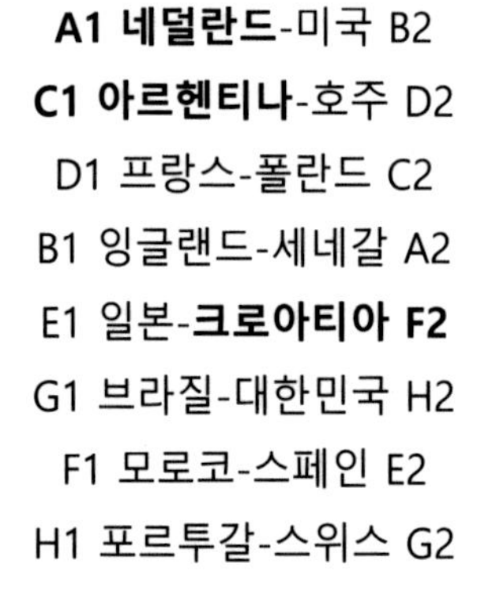

A1 네덜란드-미국 B2

C1 아르헨티나-호주 D2

D1 프랑스-폴란드 C2

B1 잉글랜드-세네갈 A2

E1 일본-**크로아티아 F2**

G1 브라질-대한민국 H2

F1 모로코-스페인 E2

H1 포르투갈-스위스 G2

22/12/3
칼리파 인터내셔널 스타디움, 도하
2022 카타르 월드컵 16강
네덜란드 3-1 미국

조별리그 끝나자마자 하루의 텀도 없이 바로 진행되는 16강전. 오렌지 군단이 아메리칸 싸커를 집으로 돌려보내며 기본 명성은 보여주고 있다. 둠프리스도 1득점 거두면서 가장 먼저 8강에 안착.

22/12/5

알 자눕 스타디움, 알 와크라

2022 카타르 월드컵 16강

일본 1-1 (pk 1-3) 크로아티아

지난 2018 대회 때 16강부터 4강까지 연달아 연장전 만으로 승부를 봤 던 크로아티아식 늪축구가 또 귀신 같이 발동을 하며 승부차기에서 확실하게 승부를 갈랐다. 현재는 브로조비치만 인테르 선수지만 함께 오랫동안 몸 담다가 지난 여름에 떠난 페리시치도 인테르 팬들이 언제라도 보면 반가울 선수.

8강

네덜란드-아르헨티나

크로아티아-브라질

프랑스-잉글랜드

모로코-포르투갈

22/12/9
에듀케이션 시티 스타디움, 알 라얀
2022 카타르 월드컵 8강
크로아티아 1-1 (pk 4-2) 브라질

지난 2018 월드컵부터 연장전만 끌고 갔다하면 무조건 이기는 달리치 감독의 늪축구가 설마 브라질까지 집어 삼킬 줄은?! 이로써 한국전에서 온갖 여유를 부리던 삼바 군단은 투병 중인 펠레에게 월드컵 트로피 바치기는 실패했고 지난 한국전이 그들의 '라스트 댄스'가 되었다 말그대로... 이제 춤은 집에 가서 춰야.

22/12/9
루사일 아이코닉 스타디움, 루사일
2022 카타르 월드컵 8강
네덜란드 2-2 (pk 3-4) 아르헨티나

상대 선수의 심기를 건드리는 감독의 인터뷰, 그런 상대 감독을 향한 도발 세레머니나, 상대 벤치를 향해 고의적으로 날린 슈팅, 승부차기에서 키커로 나서는 선수를 향한 과도한 신경전 등등 +권위주의의 끝판왕 라호즈 주심까지 아주 가슴이 뜨거워지는 경기였다. 그 결과로 양 팀 합쳐 18장의 옐로 카드가 나왔다.

4강

아르헨티나-크로아티아

프랑스-모로코

22/12/13
루사일 아이코닉 스타디움, 루사일
2022 카타르 월드컵 4강
아르헨티나 3-0 크로아티아

과거에 아구에로, 이과인, 테베즈 등등 개인 명성이 뛰어났던 아르헨 공격수들이 많았지만 다들 메시의 파트너로써는 낙제점이었고 이제서야 드디어 제대로 된 파트너를 찾은 듯. 인테르에게는 아쉽게도(?) 일단 라우타로는 아니다.

22/12/17
칼리파 인터내셔널 스타디움, 도하
2022 카타르 월드컵 3/4위전
모로코 2-1 크로아티아

1998년부터 지금까지 6번째 월드컵 출전. 그 중 세 번은 조별리그 탈락, 세 번은 4강 즉 출전만 했다하면 쪽박 아니면 대박 터뜨리는 크로아티아. 특히 살아있는 전설 모드리치와 달리치 감독이 이끄는 크로아티아의 2회 연속 4강에 대해 축하의 말을 건네고 싶다. 지난번에는 준우승을 차지하며 다들 어두운 분위기로 마무리했는데 이번엔 다들 행복하게 마무리하였다.
2위보단 차라리 3위가 낫다?! 그리고 4위를 차지한 모로코 쪽에는 인테르의 20/21 스쿠데토의 주역 하키미가 함께 했다.

2022 카타르 월드컵 3위

크로아티아

코바치치까지 또다른 ex 소환.

축하축하

22/12/18
루사일 아이코닉 스타디움, 루사일
2022 카타르 월드컵 결승전
아르헨티나 ?-? 프랑스

누가 우승하냐 여부에 관계없이 월드컵 결승전과 인테르는 큰 연관성을 가지고 있다. 1982 스페인 월드컵부터 40년째 11차례 연속으로 '월드컵 결승러'를 배출하고 있다. 물론 이 기록은 인테르 뿐만 아니라 바이에른 뮌헨도 함께 써내려 가고 있는 기록인데 이 책의 주인공은 인테르니까 인테르 얘기만 읊어보겠다.

인테르의 연속된 월드컵 결승러 리스트

●1982 [독일 v 이탈리아]: 베르고미, 마리니, 보돈, 오리알리, 알토벨리(이탈리아)

●1986 [독일 v 아르헨티나]: 루메니게(독일)

●1990 [독일 v 아르헨티나]: 클린스만, 마테우스, 브레메(독일)

●1994 [브라질 v 이탈리아]: 베르티(이탈리아)

●1998 [브라질 v 프랑스]: 호나우두(브라질) 조르카에프(프랑스)

●2002 [브라질 v 독일]: 호나우두(브라질)

●2006 [이탈리아 v 프랑스]: 마테라치(이탈리아)

●2010 [스페인 v 네덜란드]: 스네이더(네덜란드)

●2014 [독일 v 아르헨티나]: 캄파냐로, 리키 알바레스, 팔라시오(아르헨티나)

●2018 [프랑스 v 크로아티아]: 페리시치, 브로조비치(크로아티아)

●2022 [아르헨티나 vs 프랑스]: 라우타로 (아르헨)

아르헨티나 3-3 (pk 4-2) 프랑스

아르헨티나가 36년만에 통산 3번째 월드컵 트로피를 거머쥐게 됐는데 역사상 정말 이런 결승전이 있었을까 싶다. 팀이 승승장구하던 와중에 라우타로는 이번 대회에서 비판을 좀 받았지만 연장전에서 메시의 득점에 기여를 했다 그나마.

아르헨티나 2022 월드컵 우승

36년만의 통산 세번째 우승! 마라도나가 하늘로 떠난 후 맞이하는 첫 월드컵에서 대관식을 달성하는 메시! 만약 이 결과가 나오지 못했다면 라우타로가 비판의 화살을 많이 받았을 듯 하다. 다시 한 번 아르헨티나에게 축하.

휴...

Pic
Calcio
GOOD BYE 2022
TOP

안녕 2022
digitalbitcoin

안녕? 2023

23/1/4
쥐세페 메아짜, 밀라노
22/23 세리에A 16R
인테르 1-0 나폴리

세리에A가 돌아오자마자 펼쳐지는 올 해 첫 빅매치! 시종일관 준비를 잘해온 인테르였는데 월드컵 브레이크 전까지 폼이 굉장히 좋았던 36살 제코가 이번에도 결승골의 주인공이 되었다. 시모네 인자기는 마침내 올 시즌 첫 빅매치 승리를 오히려 가장 어려워보이는 팀을 상대로 가져갔다. 반면 친정팀이자 친정 제자에게 비수를 꽂히며 한 해의 출발을 안 좋게 시작하게 된 스팔레티. 전반기에는 깜삐오네였다가 후반기에는 스빡이로 '강등'당하는 스팔레티가 또...? 라기엔 아직은 엄밀히 말하면 후반기 느낌나는 전반기일 뿐.

23/1/7
스타디오 코무날레 브리안테오, 몬차
22/23 세리에A 17R
몬차 2-2 인테르

"아따 첫 (새해 원정) 판부터 장난질이냐...?" 인테르는 아체르비가 1-3으로 쐐기 득점을 하는 과정에서 주심은 갈리아르디니의 공격자 파울을 선언했는데 넘어진 몬차 선수는 상대가 아니라 동료 발에 걸려 넘어진거라 누가 봐도 소위 '억까 판정'. 결국 버저비터를 얻어맞고 승점 -2점.

23/1/10

쥐세페 메아짜, 밀라노

22/23 코파 이탈리아 16강

인테르 2-1 파르마

파르마는 한 때 파산 후 18-19 시즌 컴백했던 세리에 A 에서 당시 임대생 신분의 디마르코의 개인 커리어 첫 골이자 결승골로 승리한 것을 데자뷰시키며 16강 첫 판부터 자이언트 킬링의 주인공이 될 뻔했다. 그리고 거의 20년 가까이 데르비 디탈리아의 수장으로 활약했던 44세 부폰의 활약으로 인하여 인테르가 심히 고전했지만 결국엔 선수 층의 클라스 차이를 보여주며 연장전에서 아체르비의 장거리 헤딩 결승골로 가장 먼저 8강에 진출하였다. 잠깐, 16강전에서 연장 후반에 부폰이 헤딩골을 허용하며 1-2로 진다...? 대한민국 축구팬이라면 뭔가 익숙한 장면이다.

23/1/14

쥐세페 메아짜, 밀라노

22/23 세리에A 18R

인테르 1-0 베로나

이른 시간 라우타로의 선제골이 터져서 무난한 승리 각을 봤던 인테르지만 뒤에는 딱히 뭐 없는 지루한 우노 쩨로(1-0) 승리라고 할 수도 있다. 주중 코파 연장 여파가 있다는걸 생각하면 지루한 승리든 뭐든 실족만 안하면 장땡. 이제 인테르는 라이벌 밀란과 데르비로 펼쳐지는 수페르코파 이탈리아나를 치르기 위해 사우디 아라비아로 향한다.
이.탈.리.아.국.내.대.회인데 사.우.디.로 향한다.

23/1/15

게비스 스타디움, 베르가모

22/23 세리에A 18R

아탈란타 8-2 살레르니타나

'황라쭈리' 아탈란타가 거의 야구 스코어를 냈는데 이는 27년만에 탄생한 세리에A 한 경기 한 팀의 8득점 경기였다. 타이 기록을 이뤘던 그 경기가 바로 1996년 인테르 8-2 파도바였다.

23/1/18

킹 파흐드 Int. 스타디움, 리야드

2022 수페르코파 이탈리아나

밀란 0-3 인테르

"내 눈이 침침해졌나 제코에서 밀리토가 보인다" 그냥 최근 흐름대로 인테르가 전반부터 이미 완승 각을 만들며 대회 2연패를 달성. 반면 밀란은 코파 이탈리아에서 치욕적인 탈락에 이어 이 대회마저 놓친 결과는 데미지가 클 것이다.

인테르 2022 수페르코파 이탈리아나 우승

경기는 뛰지 않았어도 'Alza la coppa capitano' 트로피 드는건 캡틴 한다노비치가! 통산 7회 우승이었던 라이벌 밀란을 격침시키며 7회 동률을 이루었다. 그걸 두 시즌동안 연패를 거두며 따라잡은 컵 대회의 강자 심버지 시모네 인자기.

22/23 코파 이탈리아 8강

인테르 - 아탈란타

유벤투스 - 라치오

로마 - 크레모네세

피오렌티나 - 토리노

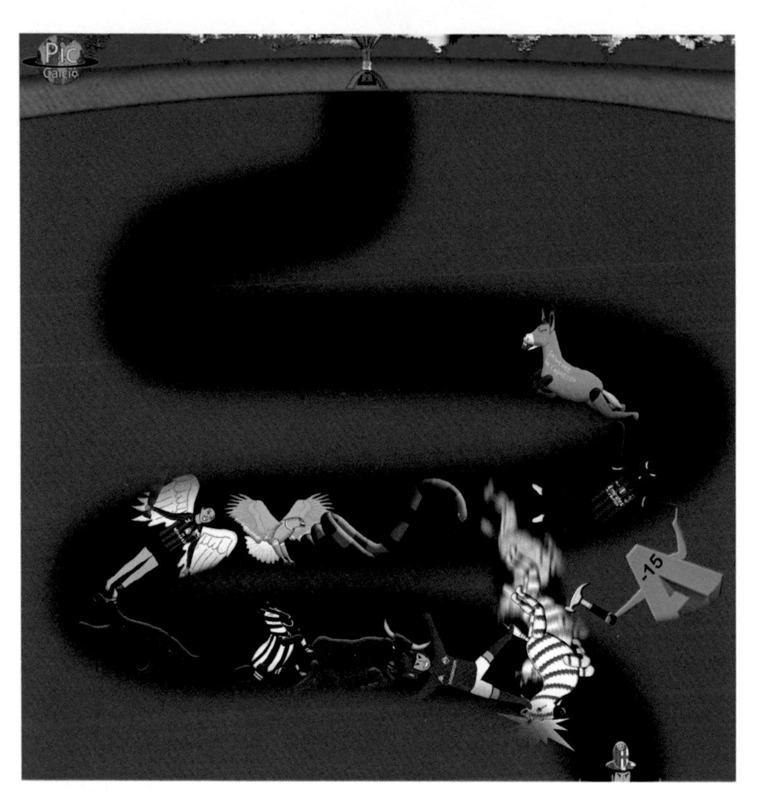

23/1/20

유벤투스 승점 -15점 삭감

리그의 50%에 도달한 이 시점에서 엄청난 사건이 터졌다. 유벤투스가 2006 칼치오폴리에 이어 이번엔 회계 장부 조작으로 인하여 중징계를 받았다. 따라서 37점 3위 -> 22점 10위로 고속 추락했다. 따라서 인테르는 수페르코파 우승하고 다시 돌아가는 와중에 가만 있다가 리그 순위가 4위에서 3위로 올랐다.

23/1/23
쥐세페 메아짜, 밀라노
22/23 세리에A 19R
인테르 0-1 엠폴리

지난 주중에 기분좋게 7번째 수페르코파 이탈리아나를 획득하고 홈으로 돌아온 인테르. 홈팬들은 비교적 쉬운 경기라고 생각할수 있는 이 전반기 마지막 경기를 축제 뒤풀이 차원으로 이어갈 거라고 예상했을 것이다. 성적이 괜찮은 와중에 요즘 유일하게 심기 불편한 거리가 된 건 슈크리냐르의 재계약 거부 및 PSG에 가네 마네 건이었는데 하필 그 주인공이 전반전에 경고 누적으로 퇴장. 그 여파가 결국 패배로 이어지며 갑분싸로 전반기를 마무리했다. 그 전에 갑자기 웬 '해피 차이니즈 뉴이어' 한자로 네이밍된 스페셜 킷을 입고 스페셜한 결과.

23/1/28
스타디오 죠반니 지니, 크레모나
22/23 세리에A 20R
크레모네세 1-2 인테르

'새로 대두(emerge & big head) 되는 차기 주장의 품격? 캡틴 토로' 최하위의 크레모네세에게 불의의 선제 실점을 했던 인테르지만 라우타로의 원맨쇼로 승리를 챙겨갈 수 있었다. 반면 코파에서도 공식 승리는 아니긴 해도 리그 원탑 팀 나폴리를 탈락시키며 8강에 진출한 크레모네세지만 반환점을 돈 스무고개가 될 때까지도 리그 0승이다.

23/1/31

쥐세페 메아짜, 밀라노

22/23 코파 이탈리아 8강

인테르 1-0 아탈란타

"4강행 네라쭈리는 한 팀만 와주십시오" 인테르는 다르미안의 결승골로 네라쭈리 더비에서 승리하며 4강행 첫 차를 타고 안착하였다. 적지 않은 나이의 다르미안이지만 이 경기 이후 구단과 2년 재계약에 서명하였다.

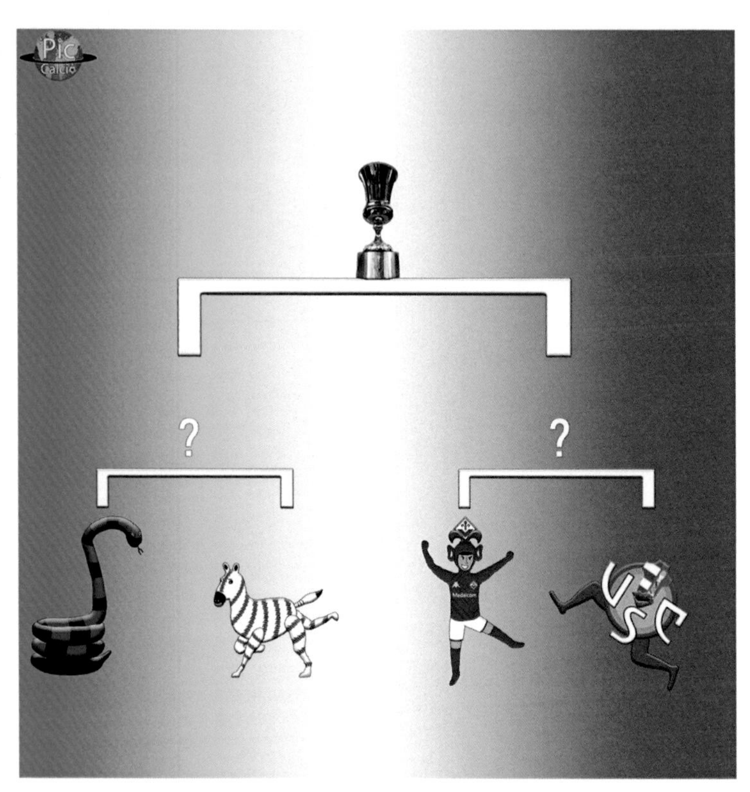

22/23 코파 이탈리아 4강

인테르 - 유벤투스
피오렌티나 - 크레모네세

홈 앤 어웨이로 4월에 치뤄질 예정이며 객관적으로 이탈리안 데르비 승자의 우승 가능성이 높아보이지만, 많은 응원을 받는 팀은 역시 크레모네세.

23/2/5
쥐세페 메아짜, 밀라노
22/23 세리에A 21R
인테르 1-0 밀란

"오나나 데르비 공짜 직관 논란... 오히려 돈을 받아?" 최근 흐름과는 무관하게 흘러가는 경우가 많던 데르비 델라 마돈니나였는데 얼마전 수페르코파처럼 이번에도 그딴건 없었고 이제는 주장 완장을 달고 나오는 캡틴 토로의 통산 7번째 데르비 득점으로 인테르의 승리. 시모네 인자기는 인테르 감독 부임 이후 리그 한정 4번째 맞대결이 되어서야 첫 데르비 승리.

23/2/13
루이지 페라리스, 제노바
22/23 세리에A 22R
삼프도리아 0-0 인테르

"테르야 입춘 지났는데 아직 자냐" 지난 주 데르비 델라 마돈니나에서 승리를 따내면서 분위기 괜찮았던 인테르는 위에서 2등이지만 밑에서 2등인 삼프도리아에게 의외로 고전하며 무재배. 그러면서 이번 라운드도 문제없이 승리를 거둔 나폴리와 차이가 15점 차이로 더 벌어졌다. 이쯤 되면 인테르는 2위가 아니라 그냥 인간계 1등인걸로. 그리고 여전히 강등 위기에 처한 팀을 맡고 있는 절박한 데키에게 선물 하나 줬다고 치면 마음이 편할지...?

23/2/18
쥐세페 메아짜, 밀라노
22/23 세리에A 23R
인테르 3-1 우디네세

의외로 쉽지 않게 흘러갔지만 승점 3점을 가져가면서 인테르는 리그 1위를 유지한다. 나폴리는 지금 범접할 수 없는 수준의 탈 세리에A 팀이니까 인간계 19개 팀 중 1위 말이다. 이제 주중에 챔피언스리그 16강 1차전을 치르기 위하여 이 곳에 포르투가 방문한다.

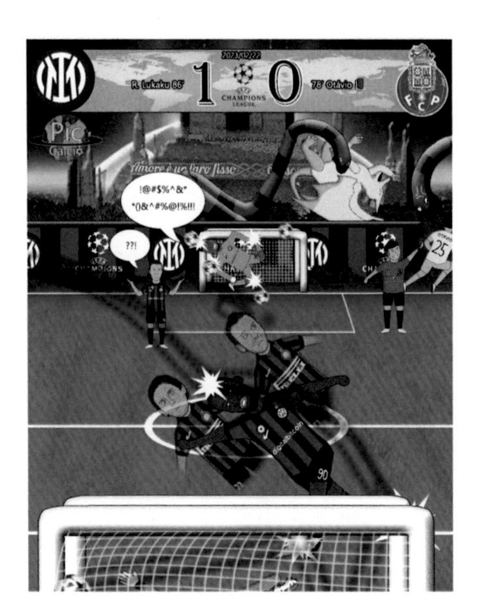

23/2/22
쥐세페 메아짜, 밀라노
22/23 UCL 16강 1차전
인테르 1-0 포르투

챔피언스리그 토너먼트 무대의 쥐세페 메아짜 홈경기에서 맛보는 11년만의 승리. 11/12시즌 16강 당시 2차전이었던 마르세유와의 홈경기는 밀리토와 뒤늦은 파찌니 PK골로 2-1 승리는 거뒀지만 원정 다득점 원칙에 의해 탈락했었다. 축구 선수로써의 상도덕을 어기며 '알 사드' 행위를 한 오타비우는 그걸로 경고,

23/2/26
레나토 달라라, 볼로냐
22/23 세리에A 24R
볼로냐 1-0 인테르

주중 챔피언스리그 16강 1차전 경기에서 승리를 따낸 인테르지만 피로도를 극복하지 못하고 그들의 트레블 영웅 중 한 명인 티아고 모따 현 볼로냐 감독에게 선물을 주었다. 전반기 빅6와의 모든 경기를 원정에서 치르고 모두 패했던 볼로냐인데 후반기 첫 빅6 대전부터 승리.

23/3/5
쥐세페 메아짜, 밀라노
22/23 세리에A 25R
인테르 2-0 레체

이번 주는 다른 경쟁 팀들 다 어려운 경기 펼칠 때 혼자 비교적 쉬운 경기 치르는 인테르. 그 기회를 놓치지 않았다. 미키와 캡틴 토로의 득점으로 무난히 승리.

23/3/10
스타디오 알베르토 피코, 스페치아
22/23 세리에A 26R
스페치아 2-1 인테르

전반 이른 시간에 잡은 PK 찬스를 라우타로가 놓칠 때부터 쎄하더니 밀란 레전드 파올로 말디니의 아들 다니엘한테 실점. 그리고 늦은 시간 둠프리스가 PK 얻어내서 기껏 동점 만들었더니 둠프리스가 PK를 내주는 원맨쇼를 펼쳤다. 인테르는 어제가 창단 기념일이었는데 동시에 챔피언스리그 16강 2차전 앞두고 잔칫상 아주 잘~ 치뤘다.

23/3/14
에스타디우 두 드라강, 포르투
22/23 UCL 16강 2차전
포르투 0-0 인테르
통합 0-1

다른 건 몰라도 골대는 인테르 편이었다. 그 정도 행운이 섞이지 않았다면 인테르가 8강을... 가더라도 90분 내에 갈 순 없었을 것 같다. 어쨌든 통합 두 경기를 무실점으로 잘 틀어 막은 인테르는 10/11시즌 이후 12년 만에 8강 진출 쾌거를 이뤄냈다.

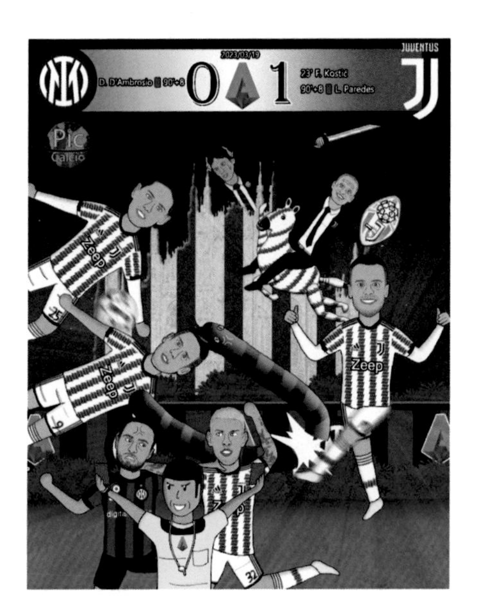

23/3/19
쥐세페 메아짜, 밀라노
22/23 세리에A 27R
인테르 0-1 유벤투스

인테르는 유베에게 안 그래도 상대 전적이 밀리는데 올 시즌의 경우는 암흑기를 겪고 있는게 아님에도 불구하고 무득점으로 더블을 내줬다는 것은 그저 파란 호구라고 밖에 할 말이 없다. 전반기 맞대결에서도 코스티치의 왼발이 2도움을 만들어냈는데 이번엔 결승골로 데르비 디탈리아의 강자로 자리 잡는 듯. 이로써 유베는 15점 삭감을 안고도 챔스권에 -7점차까지 따라 붙었다. 그리고 경기 종료 후 누가 데르비 아니랄까봐 충돌이 일어났고 싸움의 주인공 담브로시오와 파레데스는 쌍방 퇴장.

23/3/24
프렌즈 아레나, 스톡홀름
유로 2024 예선 F조 1차전
스웨덴 0-3 벨기에

지난 2022 월드컵에서의 악몽은 잊어(줘)라...! 루카카는 가고 20/21시즌 밀라노의 괴물왕 노릇을 했던 그 루카쿠가 해트트릭으로 복귀 신고를했다. 루카쿠 개인적으로는 상대 팀에 즐라탄이 있었기 때문에 더 뜻 깊을 것이다. 즐라탄은 41세의 나이로 유로 예선 출전 최고령 기록을 세웠다. 1983년 이탈리아의 골키퍼 디노 초프(40세 90일)를 넘어섰다.

23/3/27
스타디온 페예노르트, 로테르담
유로 2024 예선 B조 2차전
네덜란드 3-0 지브롤터

오렌지 군단 역대 A매치 최다득점에 다가가고 있는 데파이, 그리고 맨시티 물좀 많이 먹은 아케의 멀티골로 조 최약체 지브롤터에 무난하게 승리하였다.
여기서 둠프리스가 2개의 어시스트를 올렸다.

23/3/28

라인 에네르기 슈타디온, 쾰른

친선 경기

독일 2-3 벨기에

명예 회복을 노리는 차기 유로 개최국 전차군단이지만 오늘 강팀 벨기에를 상대로 한 경기를 보니 글쎄... 오히려 지난 월드컵에서 최악의 악몽을 경험했던 루카쿠가 이번 2경기 4골을 넣으면서 명예 회복에 나서고 있다.

23/4/1
쥐세페 메아짜, 밀라노
22/23 세리에A 28R
인테르 0-1 피오렌티나

밀란 출신 보나벤투라의 결승골로 피오렌티나가 밀라노에서 승리를 가져갔다. 이로써 인테르는 리그 한정해서 10경기가 남은 상태에서 벌써 10패 째를 찍게 되었다. 챔피언스리그 8강에 오른것과는 별개로 심각... 반면에 피오렌티나는 모든 경기 8연승.

23/4/4
알리안츠 스타디움, 토리노
22/23 코파 이탈리아 4강 1차전
유벤투스 1-1 인테르

경기 하이라이트는 후반 추가시간 포함 막판 20분 정도만 보면 될 듯. 선제골을 넣은 콰드라도가 혼자 심취한 댄스 타임을 가지면서 경기의 주인공이 되는 듯 했는데 실제로도 주인공이 된 건 맞다. 단 곱게 됐냐 안 곱게 됐냐의 차이. 다른 걸 다 떠나서 인종차별 챈트만 없었어도 루카쿠가 최근에 밀고 있는 저 세레머니를 유베 홈팬들을 향해서 하진 않았을 것이며 경고도, 상대 팀 선수의 흥분도, 그로 인한 충돌도 딱히 없었을 것이다. 더비 매치라고 하기엔 관중들의 선 넘은 행위 하나로 얼룩지게 되었는데 이 달 말에 있을 밀라노에서의 2차전은 그런 불필요한 요소 없이 승부가 갈리길 바란다.

23/4/7
아레키 스타디움, 살레르노
22/23 세리에A 29R
살레르니타나 1-1 인테르

인테르는 이른 시간 고젠스의 선제골로 앞서 나갔지만 상대의 전 인테르 선수 칸드레바에게 행운섞인 크로슛 극장 동점골을 허용하며 오늘도 승리에 실패. 3월 6일 레체전 승리 후 한 달째 리그에서 이기지 못하며 위태위태한 상황이다.

22/23 UEFA 챔피언스리그 8강 대진

레알 마드리드 - 첼시

맨시티 - 바이에른 뮌헨

밀란 - 나폴리

벤피카 - **인테르**

23/4/11
에스타디우 다 루즈, 리스본
22/23 UEFA 챔피언스리그 8강 1차전
벤피카 0-2 인테르

08/09 결승전에서 메시가 터뜨린 헤딩골만큼 보기 드물고 귀한 바렐라의 헤딩 선제골이었다. 실제로 인테르 입단 후 처음 터뜨린 헤딩골이라고 하며, 인테리스타 주앙 마리우의 도움으로(핸드볼로 PK) 루카쿠의 100% 성공률을 이어 나가는 PK 성공으로 인테르가 의외의 완승.

23/4/15
쥐세페 메아짜, 밀라노
22/23 세리에A 30R
인테르 0-1 몬차

'인테르 세리에 A 역사상 최초 홈 3연속 무득점 패배로 대흑역사 수립' 챔스에서는 무리뉴 모드, 리그에서는 가스페리니(인테르 맡을 당시 1무 4패로 경질) 모드를 시전하고 있는 심자기는 최근 5경기 리그 성적이 딱 저렇게 똑같다. 득점력이 심각한 문제로 떠오르고 있는데 찬스를 많이 못 만들었냐 하면 그것도 아니다. 공격수들 중 믿었던 라우타로도 침묵, 루카쿠는 리그 개막전 이후 리그 필드골 없음, 제코는 1월 수페르코파 이후 무득점, 코레아는 10월 이후 무득점...

23/4/19
쥐세페 메아짜, 밀라노
22/23 UCL 8강 2차전
인테르 3-3 벤피카
통합 5-3

챔스에서 만큼은 무리뉴 모드를 시전 중인 시모네 인테르는 역시 믿고 보는 수준. 하다 못해 코레아의 득점이 그것도 원더골이었으며 작년 10월 이후 첫 득점이었다. 하지만 팀은 경기 종료 직전까지 포함해서 2골을 내줘서 단일 경기 무승부로 끝난건 글쎄... 영광의 트레블을 이룬 09/10 시즌 이후 13년만의 4강 진출인데 약간 김새는 느낌도 있었다. 어쨌든 인테르는 이제 숙명의 라이벌 밀란과 결승행을 다투기 위해 밀라노로 간다.

22/23 UEFA 챔피언스리그 4강

레알 마드리드 - 맨시티

밀란 - **인테르**

23/4/23

카를로 카스텔라니, 엠폴리

22/23 세리에A 31R

엠폴리 0-3 인테르

인테르는 챔피언스리그 4강 자리에 오르는 와중에 지난 리그 5경기에서 상상 초월의 x꼬 쇼를 펼친 이후 지난 3월 6일 레체전(홈) 2-0 승리 이후 한 달 반만에 리그 승리를 가져왔다. 그리고 루카쿠는 리그에서 개막 경기였던 레체전(원정) 이후 벼락같은 득점을 터뜨린 이후 약 8개월만에 리그 필드골을 터뜨렸다. 내친김에 하나 더 넣고 라우타로와의 룰라 조합까지 살아나면서 남은 두 대회의 결승을 놓고 다툴 경기들을 더 기대하게 만들고 있다.

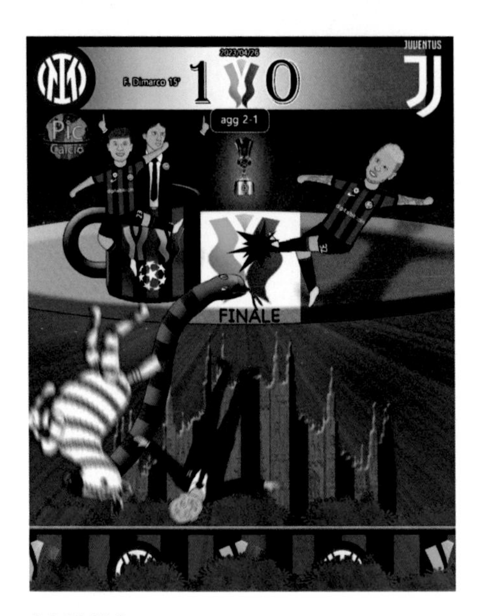

23/4/26
쥐세페 메아짜, 밀라노
22/23 코파 이탈리아 4강 2차전
인테르 1-0 유벤투스
통합 2-1

리그에서는 몰라도 컵대회의 심자기는 뭔가 다르긴 다르다. 올해만 한정해도 챔피언스리그 2승 2무 + 코파 이탈리아 3승 1무 + 수페르코파 1승 = 6승 3무로 무패를 달리고 있는 컵자기는 이 대회 2연속 결승에 올랐다. 반대편에 있는 피오렌티나-크레모네세 승자를 상대로 2연패를 노린다. 그리고 오늘은 시끄러웠던 1차전에 비하면 비교적 평화롭게 끝난 편.

23/4/30
쥐세페 메아짜, 밀라노
22/23 세리에A 32R
인테르 3-1 라치오

이번 라운드의 또 다른 빅매치이자 나폴리의 우승 확정 여부가 얽혀있던 경기였다. 라우타로의 멀티골, 부상과 맞바꾼 고젠스의 역전골, 루카쿠의 2도움, 그리고 인테르의 라치오전 하면 빼놓을 수 없는 인물 베시노의 쐐기골 어시스트까지. 그리고 심자기 감독이 친정팀에 비수를 꽂음으로써 사리 감독의 친정팀(그 시절 그토록 원하던)의 우승 퍼레이드 밥상이 다 차려졌고, 인테르를 친정팀으로 뒀을 스팔레티 감독에게는 미리 축하.

23/5/3
스타디오 벤테고디, 베로나
22/23 세리에A 33R
베로나 0-6 인테르

상대 자책골로 포문이 열리더니 그 다음부터는 찰하노글루의 유도탄 슛이 터지고 제코와 라우타로의 멀티골이 빵빵 터지며 인테르는 강등권 베로나를 상대로 대승을 가져갔다. 사실 대승보다도 동시간대에 경쟁 상대 밀란과 로마가 나란히 무승부를 거둔게 더 값진 결과.

23/5/6

스타디오 올림피코, 로마

22/23 세리에A 34R

로마 0-2 인테르

밀라노 vs 로마 다른 조합의 경기에서는 디마르코와 루카쿠의 왼발. 여기서도 밀라노가 승리하면서 이미 유리한 위치를 점하고 있었던 인테르가 5연승으로 더 더욱 유리한 위치를 굳히게 되었다. 그들의 '무버지' 무리뉴 감독에게는 미안하지만...

23/5/10

산 시로, 밀라노

22/23 UCL 4강 1차전

밀란 0-2 인테르

명목 상 밀란 홈으로 과거의 인테르 킬러였던 밀전드 셰우첸코와 경기장을 가득 채운 로쏘네리의 팬들이 지켜보는 가운데 그들을 침울하게 되기까지는 저스트 텐미닛. 인테르에게 의외로 쉬운 방향으로 흘러갔고 2차전에서 참사 나지 않는 이상 결승이 보인다.

23/5/13
쥐세페 메아짜, 밀라노
22/23 세리에A 35R
인테르 4-2 사수올로

루카쿠의 30번째 생일 당일이었는데 본인이 멀티골을 터뜨리며 자축을 제대로 하였다. 인테르는 모든 경기 포함 7연승이고 다음 경기까지 연승은 아니더라도 챔스 결승행을 노린다.

23/5/16
쥐세페 메아짜, 밀라노
22/23 UCL 4강 2차전
인테르 1-0 밀란
통합 3-0

결승으로 가는 길목이자 올 시즌 5번째 치뤄진 밀라노 데르비에서 4승 그것도 모두 연속으로 거두며 당당하게 이스탄불로 향하는 '컵자기'의 인테르이다. 09/10 시즌 트레블 이후 13년만에 결승에 오르는 네라쭈리는 내일 결판 날 맨시티-레알 마드리드 승자를 기다린다.

23/5/21

디에고 아르만도 마라도나, 나폴리

22/23 세리에A 36R

나폴리 3-1 인테르

[오피셜] 나폴리 올 시즌 세리에A 모든 팀에게 최소 한 번 이상 승리.

챔스 결승에 오른 인테르마저도 그 희생양을 피해갈 수는 없었다. [갈]이 끼어 있다면 2군도 사치. 전반도 끝나기 전에 경고 누적 퇴장을 당하면서 6~7년간 쌓였던 인테르 팬들의 분노는 극에 달하고 말았다 아직 4위권으로 마치는게 확정되지 않은 상황이기에.

23/5/24

스타디오 올림피코, 로마

22/23 코파 이탈리아 결승

인테르 - 피오렌티나

23/5/24
스타디오 올림피코, 로마
22/23 코파 이탈리아 결승
피오렌티나 1-2 인테르

애초에 피렌체가 홈팀 자격이었군... 큰 의미는 없지만 어쨌든 각각 컨퍼런스 리그와 챔스 결승을 앞두고 있는 두 팀의 결승전. 이르게 선제골을 먹혔으나 전반에 라우타로의 멀티골로 역전을 해낸 인테르가 끝까지 잘 지켜내며 지난 시즌에 이어 2연패에 성공. 이 역시도 심자기의 업적인데 경이로울 수준이다.
2023년 심자기의 3가지 컵대회 성적: 9승 3무...
이제 1승만 더하면...?!

인테르 22/23 코파 이탈리아 우승

통산 9번째 우승. 올 시즌 이미 수페르코파 이탈리아나도 2연패를 거둔 인테르인데 확률은 적지만 정말 컵 중의 컵 챔피언스리그 빅이어 들어올릴 확률이 존재한다는 것만으로도 인테르 팬들에게는 설레는 일이 될 것이다.

23/5/27
쥐세페 메아짜, 밀라노
22/23 세리에A 37R
인테르 3-2 아탈란타

[오피셜] 인테르 다음 시즌도 챔피언스리그 진출 확정

인테르가 최근 4경기동안 얻은 것: 챔스 결승 진출 - 갈리아르디니 한 경기라도 더 안 볼 권리 - 코파 이탈리아 우승 - 다음 시즌 챔스 본선 진출.

23/6/3
스타디오 올림피코 그란데 토리노
22/23 세리에A 38R
토리노 0-1 인테르

모든 세리에A 팀들은 이번이 시즌 마지막 경기이지만 인테르는 대망의 한 경기가 더 남아있다. 리그 마지막 경기 승리로 유종의 미를 거뒀고 이제 다음 주에 네 번째 빅이어를 향하여 이스탄불로 간다.

23/6/10

아타튀르크 올림픽 스타디움, 이스탄불

22/23 UEFA 챔피언스리그 결승

맨시티 - 인테르

결승 1회 빅이어 경험 0회의 정배 맨시티 vs
결승 5회 빅이어 경험 3회의 역배 인테르.
대망의 챔스 결승이 다가온다.

인테르 선발 라인업

23/6/10

아타튀르크 올림픽 스타디움, 이스탄불

22/23 UEFA 챔피언스리그 결승전

맨시티 1-0 인테르

내셔널리즘이 강력한 찰하노글루의 나라, 크로아티안 토테미즘, 달걀 동영상, 그리고 챔스 우승과 트레블 고기좀 먹어본 구단을 상대로 한 부담감 등 이 모든 것들을 뚫고 시티가 결국 목표를 달성하였다. 인테르는 루카쿠의 부재가 뼈 아프다(?).

지금까지 2022/23 인테르였습니다!

23/6/17
스타드 로아 바우두인, 브뤼셀
유로 2024 예선 F조 3차전
벨기에 1-1 오스트리아

알라바는 오늘 A매치 100번째 출장으로 센츄리 클럽에 가입하였다. 홈경기에서 0-1로 끌려 가던 벨기에를 구해낸 자 루카쿠였다.
인테르팬 曰: "일주일 전에도 저렇게 터뜨려 줬다면..."

23/6/17
에스타디우 다 루즈, 리스본
유로 2024 예선 J조 3차전
포르투갈 3-0 보스니아

전 맨유, 전 맨시티 선수인 호날두와 제코가 주장이자 팀의 정신적 지주로 있는 가운데, 현 맨유, 현 맨시티 선수인 브루누 페르난데스와 베르나르두 실바의 득점으로 포르투갈의 완승. 인테르에서도 최근 두 시즌 헌신해준 제코의 제코국은 아무래도 유로에서 보기는 쉽지 않아 보인다.

23/6/18

데 그롤쉬 베스터, 엔스헤데

22/23 UEFA 네이션스리그 3,4위전

네덜란드 2-3 이탈리아

월드컵 8강 그리고 우승팀에게 아깝게 떨어졌던 네덜란드는 쿠만이 대표팀으로 복귀한 후 벌써 몇 골을 실점했는지 답 없는 팀으로 전락해서 이탈리아가 3위를 차지 당한 느낌은 있다. 안 그래도 클럽, U-20 팀 안 가리고 연이은 준우승의 매운 맛을 보고 있던 이탈리아였는데 A대표팀은 그나마 기분 좋게(?) 마무리할 수 있었다. 20/21에 이어 연속 3위.

23/6/18
스타디온 페예노르트, 로테르담
22/23 UEFA 네이션스리그 결승
크로아티아 0-0 (pk 4-5) 스페인

연장전을 돌입했으니 이 부문 최강자 크로아티아가 어떻게든 이길 수 있겠구나 싶었는데 빅 데이터가 빗나가버렸다. 반대로 승부차기라면 치가 떨릴 스페인이 반전을 일으키며 네이션스 리그 세번째 우승국에 이름을 올렸다. 반면 메이저 대회 우승이 간절했던 모드리치와 아이들은 또 한 번 좌절. 2018 프랑스야 전력차가 컸다고 해도 이쯤되면 이번에는 좀 화가 날지도. 특히 브로조비치는 일주일만에 여기서까지 또 준우승의 쓴 맛을 봤다.

23/6/20
르 코크 스타디움, 탈린
유로 2024 예선 F조 4차전
에스토니아 0-3 벨기에

벨기에 대표팀 주장 완장 관련 이슈로 쿠르투아가 돌연 대표 팀 하차를 했다 무슨 핀트로 엇나간지는 모르겠지만. 어쨌든 주장 완장을 달고 나선 루카쿠는 멀티골을 터뜨리면서 월드컵 본선 때, 그리고 10일 전 챔피언스리그 결승 때와는 전혀 다른 활약을 해주고 있다. 물론 상대 팀 난이도 고려도 해야겠지만...

2023
LAUTARO
10

/24

23/8/19
쥐세페 메아짜, 밀라노
23/24 세리에A 1R
인테르 2-0 몬차

인테르에서 6년, 10년간 몸 담았던 갈리아르디니와 담브로시오가 팀을 떠나 함께 합류한 팀을 개막전부터 상대하는 인테르인데 이것부터가 벌써 그들에게는 흥미거리였다. 부메랑을 특히 갈리아르디니에게 당할까봐 우려하는 시선이 있었지만 그런건 없었고 굳이 따지자면 그에게 파울을 범한 라우타로가 경고를 받은 정도...? 올 시즌부터 팀의 새 주장이 된 라우타로가 개막전부터 멀티골을 터뜨리면서 지난 시즌 1무 1패로 열세였던 몬차를 상대로 무난한 스타트.

23/8/28
사르데냐 아레나, 칼리아리
23/24 세리에A 2R
칼리아리 0-2 인테르

이제는 딱히 승격팀이라는 느낌이 들지 않는 칼리아리인데 이번엔 라니에리 감독이 쭉 이끌고 있다. 올 시즌 우승 후보로 꼽히는 인테르는 원정 첫 경기에서도 무난하게 승리하며 무실점 2연승으로 쾌조의 스타트.

23/9/3
쥐세페 메아짜, 밀라노
23/24 세리에A 3R
인테르 4-0 피오렌티나

개막 후 3경기만에 벌써 5골로 득점 선두에 오른 라우타로. 그리고 이카르디와 루카쿠가 누구...? 아직 초반이긴 하지만 마르쿠스 튀랑이 벌써 그의 좋은 파트너가 될 기미가 보인다. 인테르는 개막 후 무실점으로 3전 전승.

23/9/16
쥐세페 메아짜, 밀라노
23/24 세리에A 4R
인테르 5-1 밀란

리그, 챔스, 수페르코파 등 모든 대회 포함하여 데르비 델라 마돈니나에서 5연승을 한 경기 5득점으로 찍다. 둘 다 똑같이 개막 후 3전 전승으로 이르게 만난 밀라노 형제인데 맞대결로 뚜껑을 열어보니 달라도 많이 달랐다.

인테르 밀라노 더비 5연승 일지 (이번 경기 전 4차례의 더비 매치들)

수페르코파 - 리그 - 챔스 두 경기 그리고 이번 리그 5-1까지

그리고...

작가 개인 사정으로 3개월 간

자체 축구 휴식기에 들어가다 :(

R.I.P 2023 가을.
중간 빵꾸 미안합니다...

23/12/17
스타디오 올림피코, 로마
23/24 세리에A 16R
라치오 0-2 인테르

2023년 한 해에만 29골을 넣은 라우타로. 이는 한 해 28골을 넣었던 2001 비에리, 2012 밀리토를 제치는 결과였다. 11년 주기로 세워지고 있는 구단 내 기록이니 2034년에는 누구? 최근 본인의 조국 아르헨티나에서 폭풍으로 인하여 참사가 있었던 지역을 향해 메세지를 적은 문구를 내보이는 세레머니를 펼쳤다. 그리고 튀랑의 추가골까지 더하여 심자기는 드디어 지난 두 시즌 간 원정에서의 친정팀 사랑을 멈추었다. 또한 인테르는 사리가 이끄는 팀(엠폴리-나폴리-유벤투스-라치오) 리그 원정 경기에서 첫 승리를 거두었다.

23/12/20
쥐세페 메아짜, 밀라노
23/24 코파 이탈리아 16강
인테르 1-2 볼로냐

[오피셜]인테르 코파 3연패 및 올 시즌 트레블 실패

리그에서는 신급인 라우타로가 PK를 놓치며 연장 갈 때부터 쌔~했지만, 인테르가 선제골을 뽑아냈지만, 역전을 당하며 놀라움을 선사했다. 리그에서 놀라운 모습을 보여주고 있는 볼로냐라 하더라도, 부임 후 코파에서 단 한 번의 패배없이 2연패를 거두던 '컵대

23/12/23
쥐세페 메아짜, 밀라노
23/24 세리에A 17R
인테르 2-0 레체

인테르가 비섹의 데뷔골과 약간의 부상이 있던 라우타로 대신 주장 완장을 달고 나온 바렐라의 추가골로 무난하게 마무리.

23/12/29
루이지 페라리스, 제노바
23/24 세리에A 18R
제노아 1-1 인테르

아르나우토비치의 인테르 소속 세리에A 데뷔골이 데뷔 14년만에 터졌다. 물론 트레블 시즌 당시 트벤테에서 임대 온 20세 소년은 리그 3경기밖에 소화 못 했었지만 말이다. 하지만 인테르는 승리하는데 실패하며 유베와의 격차를 벌리지 못했다. 그러나 4점차로 벌어졌던 것도 (유베랑 비긴) 제노아 덕분, 지금 2점 차로 좁혀진 것도 제노아 때문이니 쌤쌤 치는 걸로?

Pic
Calcio
GOOD BYE 2023
TOP SCORER
TOP SCORER
TOP SCORER
TOP SCORER 2023
BALLON D'OR 2023

안녕 2023
ISTANBUL
LAUTARO
10

안녕? 2024

24/1/6
쥐세페 메아짜, 밀라노
23/24 세리에A 19R
인테르 2-1 엘라스 베로나

새해 첫 경기부터 어마어마한 미친 경기를 펼친 인테르다. 인테르에 맞선 수비수 아르나우토비치의 2024 올해의 수비수 급 활약, 프라테시의 버저비터 결승골 & 엉덩이 그리고 T.앙리의 천당에서 지옥을향한 퍼포먼스 등 마침 PL이 없는 주말이었는데 주말 예능을 황금 시간대(20:30)에 단독으로 펼쳤다.

24/1/13
스타디오 코무날레 브리안테오, 몬차
23/24 세리에A 20R
몬차 1-5 인테르

찰하노글루와 라우타로의 쌍멀티골 그리고 인테르에게 도움이 되는 갈리아르디니의 1인분 활약이 팀의 대승을 이끌며 탑테르 유지. 지난 시즌 승격팀이었던 몬차에게 상대전적 1무 1패였던 인테르였는데 올 시즌은 이미 2승으로 리벤지 성공.

24/1/19
알 아왈 파크, 리야드
2023 수페르코파 이탈리아나 4강
인테르 3-0 라치오

전 날 나폴리 3-0 피오렌티나에 이어 이 쪽도 삼대빵으로 끝났다. 이 대회 디펜딩 챔피언이자 현재 리그에서도 1위인 인테르가 객관적으로도 결국엔 우승할 것으로 예상되고 있다.

24/1/22

알 아왈 파크, 리야드

2023 수페르코파 이탈리아나 결승

나폴리 0-1 인테르

후반 중반부에 촐리토가 퇴장 당함으로 인해 나폴리는 존버 작전말고는 답이 안 보일수밖에 없었지만 연장전까지 넘어가는 것을 인테르의 캡틴 라우타로가 허락하지 않았다.

인테르 2023 수페르코파 이탈리아나 우승

이 대회에서 무려 3연패를 거두고 있는 심자기의 인테르. 이번에는 스쿠데토가 유력해 보이는 와중에 올 시즌도 일단 '유관'이다.

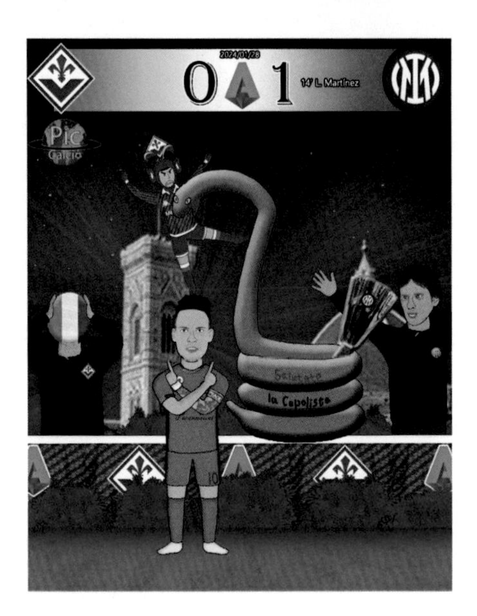

24/1/28
아르테미오 프란키, 피렌체
23/24 세리에A 22R
피오렌티나 0-1 인테르

또 사우디까지 가서 수페르코파를 또 먹고 돌아온 인테르에게 체력적 크리가 있을지언정 승리 외엔 없었다. 올 시즌 거의 독주 체제로 가는 분위기.

24/2/4
쥐세페 메아짜, 밀라노
23/24 세리에A 23R
인테르 1-0 유벤투스

고양이들(가티)의 자책 결승골로 데르비 디탈리아의 승자 그리고 올 시즌 스쿠데토 가능성은 인테르에게. 꼭대기에 있던 인테르가 더 직접적으로 격차를 벌렸으니 PL과는 달리 이쪽은 우승 윤곽선이 강해지는 분위기다.

24/2/10
스타디오 올림피코, 로마
23/24 세리에A 24R
로마 2-4 인테르

장대비가 내리는 로마에서 자신의 생일 당일 밤 득점을 터뜨린 아체르비를 시작으로 난타전 끝에 결국 승자는 오직 승리 외엔 잊은 인테르였다. 100% 승률을 달리고 있던 데 로시 볼의 진정한 시험대였지만 올해 전승을 달리고 있는 인테르를 도저히 막을 순 없었다.

24/2/16
쥐세페 메아짜, 밀라노
23/24 세리에A 25R
인테르 4-0 살레르니타나

애초에 1위와 꼴찌의 맞대결이었으니 어느 정도 예상은 됐던 결과였다. 인테르는 로마전에 이어 연달아 4골을 퍼부으며 2024년 전승 그리고 부동의 1위를 달리고 있다.

24/2/20
쥐세페 메아짜, 밀라노
23/24 UEFA 챔피언스리그 16강 1차전
인테르 1-0 아틀레티코 마드리드

베로나전이 생각날 정도로 두 번의 완벽한 찬스를 하늘로 날려버리며 또 남의 팀 활약을 펼친 아르나우토비치이지만 그래도 삼세판 놓치진 않았다. 솔직히 그것도 못 넣을 줄... 1차전은 홈팀 심버지가 웃었지만 1골 차 승리가 아쉬울 정도.

24/2/25
비아 델 마레, 레체
23/24 세리에A 26R
레체 0-4 인테르

라우타로의 세리에A 100호골에 이어 101호골까지 터지며 또 다시 팀은 대승을 거두었다. 10연승도 10연승인데 3경기 연속으로 4득점을 하고 있는 미친 인테르.

24/2/28
쥐세페 메아짜, 밀라
23/24 세리에A 21R (순연경기)
인테르 4-0 아탈란타

상대가 하위권이건 챔스 경쟁권이건 상관없이 후들겨 패고 있는 인테르는 리그 4경기 연속 4골이라는 엽기적인 기록을 쓰고 있다. 겨울만 되면 고꾸라지던 그들의 고질적인 모습은 온데간데 없이 2024년 전승으로 11연승. 그리고 모자라던 한 경기를 승리로 채우면서 2위 유베와의 격차는 12점차로 벌어졌다.

24/3/4
쥐세페 메아짜, 밀라노
23/24 세리에A 27R
인테르 2-1 제노아

어제 유베의 패배로 오늘 이기면 15점 차 선두가 되는 인테르는 결국 그것을 해냈다. 비록 5경기 연속 4득점에는 실패했지만 2024년 공식 경기 12전 전승을 3월에도 이어나간다.

24/3/9
레나토 달라라, 볼로냐
23/24 세리에A 28R
볼로냐 0-1 인테르

[오피셜]나폴리 타이틀 방어 실패 확정
당일 창단 116주년을 맞이한 인테르다. 2010년 대역사를 세우는데 공헌했던 티아고 모따가 감독으로 이끄는 볼로냐 원정은 아주 껄끄럽기만 했는데 이번만큼은 모따도 인테리스타로써 생일 잔치에 동참. 2024년 공식 경기 13전 전승 그리고 리그 10연승으로 계속해서 선두를 질주.

24/3/13
시비타스 메트로폴리타노, 마드리드
23/24 UEFA 챔피언스리그 16강 2차전
아틀레티코 마드리드 2-1 인테르
통합 2-2, 승부차기 3-2

어제 아스날-포르투 경기에서 8년만에 나온 승부차기가 단 하루만에 또... 지금 3월인데 2024년 내내 이어오던 전승 행진이 여기서 깨졌다 인테르는. 그래 깨질 수는 있는데 승부차기에서도 무려 3명이 실축을 하며 올 시즌 기대치가 높았던 이 팀은 여기서 여정을 마무리해야 했다. 강제 리그 집중... 딱히 안해도 스쿠데토를 들 것 같다만.

24/3/17
쥐세페 메아짜, 밀라노
23/24 세리에A 29R
인테르 1-1 나폴리

공통적으로 주중에 스페인 라리가 두 팀에게 깨져서 8강에 실패한 자들의 맞대결이자 디펜딩 챔피언이 방패를 넥스트 챔피언에게 인수인계해줘야 할 듯한... 결과는 의외로 무승부였는데 아체르비가 주앙 제수스에게 건넨 인종차별적 언사는 전후사정을 떠나서 많은 시끌시끌한 논란을 낳았다. 그것도 '인테르나치오날레'의 현 유니폼을 입은 선수가 그것도 전 인테르 선수에게...?!

24/3/24
레드불 아레나, 뉴저지
친선 경기
에콰도르 0-2 이탈리아

22년전 한일월드컵에서 비에리의 멀티골로 승리를 거둔 똑같은 스코어 재현. 지금은 전반적으로 유니폼을 바꿀 시기가 맞지만 틈만 나면 유니폼 새로 생성하기에 바쁜 이탈리아는 새로운 저지를 뉴저지에서 첫 선보임.

24/3/26
스타드 벨로드롬, 마르세유
친선 경기
프랑스 3-2 칠레

개인적으로 프랑스 이번 홈킷은 예술의 나라답게 예쁜데 어웨이는 줄무늬가 무슨 잠옷 같아서 별로... 어쨌든 최다득점자 지루는 계속 득점을 이어나갔고 알렉시스 산체스가 공격포인트를 올린 건 아니지만 지난 시즌에 뛰었던 마르세유와 인사.

24/3/26
유나이티드 에어라인즈 필드 앳 더 로스 앤젤레스 메모리얼 스타디움, LA
친선 경기
아르헨티나 3-1 코스타리카

파란색을 좋아하는 개인적인 취향 저격을 제대로 당했다 아르헨티나 어웨이 킷. 메시 없어도 이번 북중미 팀들과의 2연전은 모두 무난히 승리했는데 메시가 언제까지 있을지 모르니 없이 이기는 방법을 터득해놔야 할 것. 토로도 한 건 해주었다.

24/4/1
쥐세페 메아짜, 밀라노
23/24 세리에A 30R
인테르 2-0 엠폴리

까딱했다가 2위 팀이랑 점수 차이가 좁혀질라... 하기에는 너무나 큰 차이다 이제 4월로 접어들고 8경기 남은 상태에서 14점 차이는... 올 시즌 인테르가 스쿠데토를 들지 못하는게 말이 안되는 상황으로 가고 있다.

24/4/8
다치아 아레나, 우디네
23/24 세리에A 31R
우디네세 1-2 인테르

올해 인테르의 첫 경기인 베로나전처럼 또 프라테시가 2-1을 만드는 극장 결승골을 만들며 인테르는 이제 20번째 스쿠데토에 거의 근접했다.

24/4/14
쥐세페 메아짜, 밀라노
23/24 세리에A 32R
인테르 2-2 칼리아리

이제 정말 통산 20번째이자 두번째 별에 근접한 인테르는 잔류경쟁을 펼치는 칼리아리와 좀 뜬금 없게 무승부. 이겼어도 오늘 우승이 확정되는건 아니었지만 이 결과로 판은 제대로 깔렸다. 14점 차이가 나고 있는 밀란과의 다음 라운드 데르비 델라 마돈니나에서 승리할 시 우승 확정!

인테르 데르비 5연승 중

이번에 이기면 6연승 + 스쿠데토 확정! 무승부 시에는 연승도 끊기고 우승 확정을 뒤로 미뤄야 한다.

24/4/22
산 시로, 밀라노
23/24 세리에A 33R
밀란 1-2 인테르

[오피셜] 인세우확
인테르 23/24 세리에A 우승 확정! ★★

라이벌 팀과의 더비에서 이기고 리그 우승을 확정지으면 어떤 기분일까 말이 필요없다. 근데 그 와중에 테오와 둠프리스는 이쯤되면 서로 전생에 부모의 원수 아니었나 의심...

달랑 한 장으로는 모자랐던 데르비와 그 결과의 의미. 밀란보다 9년 늦게 태어나고 첫 번째 별(10번째 스쿠데토)을 밀란보다 13년 먼저 달성하고 19:19로 동률이었다가 결국 두번째 별도 인테르가 먼저 달성한다. 그리고 밀란 팬들 입장에서는 차마 두 눈 뜨고 보기 힘들겠지만 하필 또 찰하노글루의 등번호가 20번.

24/4/28
쥐세페 메아짜, 밀라노
23/24 세리에 A 34R
인테르 2-0 토리노

V20 별 2개를 지난 주에 라이벌 밀란을 꺾으며 확정 짓고 홈(팬들 앞)으로 돌아온 인테르는 토리노 선수단의 가드 오브 아너를 받으며 입장했다. 찰하노글루의 멀티골로 또 1승을 추가했는데 아직 트로피만 들지 않았을 뿐 그냥 파티였다.

24/5/4

마페이 스타디움, 치타 델 트리콜로레

23/24 세리에A 35R

사수올로 1-0 인테르

올 시즌 챔피언 인테르가 자신들의 두 번째 별보다 사수올로의 강등이 더 중요하다는 메세지는 실제로 걸어놓은건 아니고 10여년 가까이 리그에서 괴롭힘을 당하고 있기에 인테르에게 매우 중요한 일전이었다. 사수올로에게 패배를 안겨서 강등에 힘을 실어줘야 본인들이 다음 시즌부터 당분간이라도 장애물을 제거할 수 있을텐데 개탄스럽게도 승점 3점 헌납... 그전까지 유일한 패배를 당했던 상대였기에 총 6점을 제공한 셈이다.

24/5/10
베니토 스티르페, 프로시노네
23/24 세리에 A 36R
프로시노네 0-5 인테르

??: "거 사수올로한테는 찍소리 못하더니 왜 우리한테만 폭격하고 난리?"
인테르 입장에서도 둘 중 하나만 폭격할 수 있다면 직전 경기였던 사수올로 상대로만 그러고 싶었을 것이다. 하지만 인생사라는게 뜻대로 안되니... 잔류 경쟁을 펼치고 있는 프로시노네에게는 애석하게도 인테르가 아주 편안한 마음으로 5인 5색 득점쇼를 펼치는 경기가 되었다.

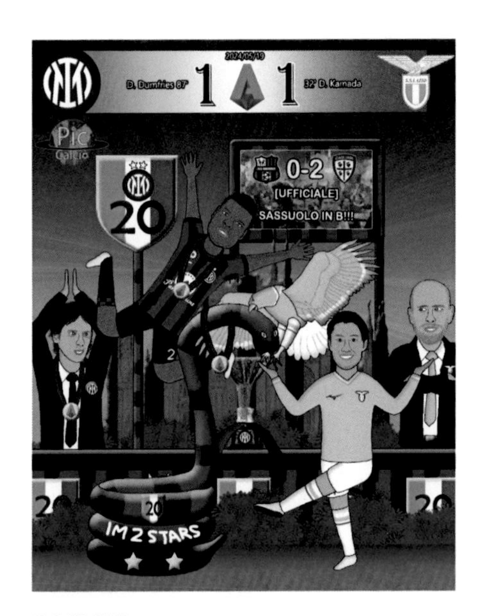

24/5/19
쥐세페 메아짜, 밀라노
23/24 세리에 A 37R
인테르 1-1 라치오

경기 전에 들려온 사수올로의 강등 소식은 인테르 팬들에게 우승만큼이나 기쁠 것이다. 사수올로가 언제 다시 올라올지 모르지만 최소 한 시즌 두 경기만이라도 조마조마한 고통을 덜 맛보게... 어쨌든 오늘 경기는 Piccalcio 1000번째 얼굴의 주인공 가마다 다이치의 선제골로 인테르가 갑분싸 잔칫상이 될 뻔했지만 둠프리스가 그것만큼은 면하게 해주었다.

인테르 23/24 세리에A 우승

3년만에 이탈리아 왕좌에 다시 오름과 동시에 통산 20번째 스쿠데토로 두번째 별을 장착한 인테르.

24/5/22
아비바 스타디움, 더블린
UEFA 유로파리그 결승
아탈란타 3-0 레버쿠젠

루크먼은 결승전 해트트릭이라는 엄청난 스웩을 보여주며 이탈리아 축구를 사랑하는 이탈리아인들이나 세리에팬들 대다수를 뽕 차오르게 만들어주었다. 특히 인테르 팬 입장에서 떠올릴 수 밖에 없던 것들이 있다.

2010/5/22 밀리토 vs 바이에른(독일) 상대로 멀티골
2024/5/22 루크먼 vs 바이엘(독일) 상대로 해트트릭

14년만에 돌아온 5월 22일 유럽대항전 결승전에서 이탈리안 네라쭈리 팀 선수가 독일 팀에게 멀티골 이상을 퍼부으면서 우승 트로피를 팀에 안겨다주었다. 이탈리아 클럽 선수가 유럽 대항전 결승전에서 멀티골 이상 득점한 것은 밀리토 이후 처음.

인테르 09/10 챔피언스리그 우승 및 트레블

그 날을 기념하며...

24/5/26
스타디오 벤테고디, 베로나
23/24 세리에A 38R
베로나 2-2 인테르

둘 다 목표를 이룬 상태라 경기가 친선 느낌. 공식적으로 다음 시즌부터 엠블럼에 두 번째 별을 달 인테르는 원스타로서의 마지막 경기를 치렀다.

지금까지 인테르의 2022/24였습니다.

블로그

인스타

대단히 감사합니다!

PicCalcio 인테르 2022/24 시즌 하이라이트 일러스트 카툰북

발 행 | 2024년 8월 8일
저 자 | 장원석
펴낸이 | 한건희
펴낸곳 | 주식회사 부크크
출판사등록 | 2014.07.15.(제2014-16호)
주 소 | 서울특별시 금천구 가산디지털1로 119 SK트윈타워 A동 305호
전 화 | 1670-8316
이메일 | info@bookk.co.kr

ISBN | 979-11-419-0026-7

www.bookk.co.kr